현장체험 학습 신청서와 보고서 작성 시 부모님을 위한 팁

현장체험 학습 신청서 작성의 **목적과 필수 항목**

현장체험 학습은 학교를 벗어나 배우는 교육 활동으로 자연을 체험하거나, 박물관, 미술관, 역사, 유적지, 공연 등 다양한 문화를 접하고 스스로 경험한 것을 학습의 일환으로 보는 프로그램입니다. ==현장체험 학습 신청서를 제출한 후 학교의 승인을 받아야만 학교 출석을 인정==받을 수 있습니다. 신청자의 인적 사항과 현장체험을 하고자 하는 기간과 장소 그리고 현장체험 학습계획, 비상연락처 등이 포함되어 있어야 하며 현장체험 학습 후 보고서를 제출하여야 합니다.

현장체험 학습 신청서 **작성 팁**

1. ==현장체험 학습 계획은 여행 코스 계획 위주로 잡아 주시면 편해요.== 아이들이 궁금해하는 곳 위주로 코스를 구성하되 코스 특성을 묶어 계획을 정리하는 것이 좋습니다. 여행 코스에 불국사와 석굴암을 간다고 한다면 '신라 불교 의미와 건축기술을 알아보자' 등으로 제목을 달 수 있습니다.
2. 아는 만큼 보입니다. 신청서 작성 전 ==아이와 함께 관련 책이나 인터넷, 유튜브 검색 등==을 통해 미리 살펴보면 현장에서 직접 보는 아이와 신청서를 작성하는 부모님께 도움이 됩니다.

현장체험 학습 신청서 작성 예시

예) 1. 가족 여행을 통해 부모, 남매 사이의 유대감을 높이고 소중함을 확인한다.
    2. 경주의 지리적 특성(위치, 주상절리, 주변도시 등)을 이해한다.
    3. 경주의 여러 가지 특산품을 찾아 눈과 입으로 확인한다.
    4. 경주의 역사와 문화, 민속에 대한 이해를 높인다.
    5. 각종 체험 시설과 유적지, 박물관 관람을 통해 다양한 경험을 쌓는다.

현장체험 학습 보고서 작성 시 **부모님을 위한 팁** ◎ 현장체험 학습 보고서 작성 시 뒤에 있는 워크북을 활용해보세요.

1. 처음부터 너무 완벽한 보고서를 쓰려고 아이에게 요구하지 마세요. 아이가 경험하고 느낀 것을 다시 생각해 보며 보고서를 쓰는 것 역시 현장체험 학습 과정 중 하나입니다. 아이가 자유롭게 표현할 수 있도록 옆에서 그때의 감정을 표현할 수 있도록 도와주세요.
2. 보고서는 아이 스스로 작성할 수 있게 지도, 관광안내 전단지와 입장권을 꼼꼼히 챙겨 놓으면 나중에 도움이 됩니다.
3. 현장체험이 끝난 후 이동하는 차 안에서 스마트폰의 녹음 기능을 통해서 아이의 감정과 생각을 기록해 두면 추후 보고서 작성 시 그때 느낀 감정 그대로를 표현할 수 있습니다.

진행 순서 : 체험 학습 신청서 제출 (보호자 *반드시 미리 제출합니다.) ▶ 결재 (학교) ▶ 허가 여부 통보 (교사) ▶
           체험 학습 실시 (보호자와 학생) ▶ 보고서 제출 (학생) ▶ 출결 처리 (학교)

현장 체험 학습 보고서 작성 시 어린이를 위한 팁

현장체험 학습 보고서는 일기와 형식이 비슷해요. 어떤 곳을 가서 어떤 경험을 했고 그것을 통해 느낀 점들을 표현하면 돼요. 이때 단순히 "재미나요, 즐거웠어요"보다는 무엇이 재미나고 왜 즐거웠는지 구체적으로 적어주면 됩니다. 그때의 경험을 떠올려 입장권이나 사진 등을 이용해서 꾸며도 되고 그때의 감정과 생각들을 글로 표현하면 돼요.

① 미루지 않습니다.
② 반드시 스스로 작성하도록 합니다.
③ 썼던 현장체험 학습 신청서(제출할 때 한 장 더 복사해서)를 함께 들고 다니며 살펴봅니다.

경주와 관련된 단어찾기

경	주	와	기	금	관	자
릉	래	첨	황	석	굴	암
첨	천	수	령	가	분	토
성	용	다	보	탑	황	우
대	국	영	불	국	사	장
천	마	총	아	포	석	정

연관된 것끼리 짝을 이어주세요.

선덕여왕

불국사

문무왕

천마총

감은사
두 개의 삼층 석탑만이 지키고 있는곳. 죽어서도 동해의 용이 되어 신라를 지키겠다던 문무왕의 이야기가 전해지는 곳이에요.

분황사
신라시대 때 최초로 만든 석탑이 있는 곳. 이 곳의 석탑을 돌을 벽돌처럼 다듬어 쌓았지요.

다보탑과 석가탑
불국사의 '불국'은 부처님의 나라라는 뜻이에요. 화려한 다보탑과 우아한 석가탑이 이곳을 지키고 있어요.

천마도
발에 구름을 달아 놓은 듯한 천마 그림이 무덤에서 발견되어 천마총이라 불러요.

가로세로 낱말 맞추기

가로
1. 이것은 용암이 바다와 만나 빠르게 식으면서 용암 표면에 오각형, 육각형 모양 틈이 생기는 것을 말해요.
2. 경주 곳곳에 ○○시대 역사가 남아있어요. 삼국시대 나라 중 하나에요.
3. 흙으로 만든 인형을 말해요. 신라 사람들은 흙으로 인형뿐만 아니라 동물 모양 인형, 그릇 등을 만들었어요.
4. 삼국통일을 완성한 이왕의 무덤이에요. 죽어서도 동해의 용이 되어 신라를 지키겠다는 유언에 따라 동해 앞바다에 묻혔다고 전해져요.
5. 물길을 따라 술잔을 띄우고 술잔이 멈춘 곳의 사람이 시를 짓는 곳이기도 하지만 후백제의 견훤의 공격을 받아 신라의 시대도 끝이 나게 된 곳이기도 해요.
6. 양동 마을은 우리나라 최대 규모의 전통마을로 유네스코 ○○○○○○○에 등재 되었어요.

세로
1. 14면체 주사위로 각 면마다 벌칙이 쓰여있어요. 포석정에서 잔치를 할 때 사용되었어요. 동궁과 월지에서 발견되었지요.
2. 서울의 어원으로 수도라는 뜻이며 경주의 옛 이름이에요.
3. 동아시아에서 현존하는 가장 오래된 천문대로 별을 관찰하는 곳이에요.
4. 불국사의 대표적인 탑으로 이 탑과 다보탑이 있어요. 화려한 다보탑에 비해 이 탑은 우아하며 간결한 것이 특징이에요.
5. 신라가 삼국통일을 하는데 큰 역할을 한 장군이에요. 장군의 업적을 기억하고자 훗날 '흥무대왕'으로 불리게 되었어요.
6. 신라에만 존재했던 이것은 오늘날의 보이스카우트와 같은 단체예요. 이들은 다섯 가지의 규칙인 '세속 5계'를 꼭 지켰는데 무술뿐만 아니라, 마음을 수련하는 것도 중요하게 생각했지요.

OX퀴즈로 경주 맞추기

1. 경주는 경상남도에 있는 도시다.

2. 문화재가 많은 경주를 '지붕 없는 박물관'이라 부른다.

3. 신라의 다양한 최신 기술이 모여있는 곳은 석굴암이다.

4. 무영탑이라고 불리며 간결하고 아름다운 비례와 균형이 특징인 탑은 다보탑이다.

5. 경주는 오래전부터 중국 서안에서 시작한 실크로드의 정착지였다.

6. 안압지라고 부르기도 하는 동궁과 월지는 신라시대 때 제사를 지내던 곳이었다.

7. 우리나라 최대 규모의 전통마을로 유네스코 세계문화유산에 등재된 마을의 이름은 교촌 마을이다.

8. 양남 주상절리를 통해 동해가 어떻게 만들어졌는지 알 수 있다.

9. 경주의 중요 유적지를 순회하는 전기차는 무당벌레 모양을 하고 있다.

10. 천년 전 토우로 만들어진 동경이를 보고 동경이가 오래전부터 경주에 살아온 것을 알 수 있다.

정답 : 1) X, 2) O, 3) O, 4) X, 5) O, 6) X, 7) X, 8) O 9) X, 10) O

가족의 띠에 해당하는 동물에 이름을 써보세요.

돌무지덧널무덤 쌓는 과정을 순서대로 나열해보세요.

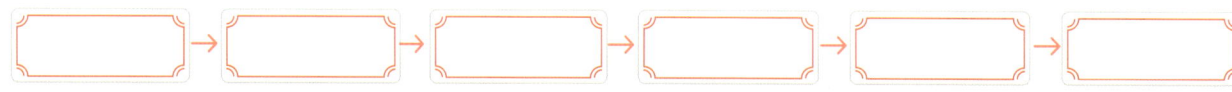

정답: ⑤ - ② - ③ - ① - ⑥ - ④

관계있는 것 끼리 이어주세요.

다보탑

천마도

천마총

선덕여왕

포석정

주령구

분황사

석가탑

감은사지 3층 석탑

문무왕

정답: 1) 다보탑 - 석가탑 2) 천마총 - 천마도 3) 포석정 - 주령구 4) 분황사 - 선덕여왕 5) 감은사지 3층 석탑 - 문무왕

숨은그림 찾기
비단벌레, 십원, 김밥, 귤, 아이스크림, 자전거, 당근, 비행기

초성으로 경주 맞추기

1. ㅅㄷㅇㅇ
신라의 제27대 왕이며 한국사 최초 여성 국왕이에요. 즉위 3년째에 분황사가 완공되었다고 하는데, 여기서 '분황'이라는 이름은 '향기로운 임금' 즉, ㅇㅇㅇㅇ 본인을 가리키는 것이에요.

2. ㅊㅁㅊ
발에 구름을 달아 놓은 듯한 천마 그림이 무덤에서 발견되어 ㅇㅇㅇㅇ이라 불러요.

3. ㅍㅅㅈ
잔치를 하던 곳이에요. 물길을 따라 술잔을 띄우고 술잔이 멈춘 곳의 사람이 시를 짓는 낭만적인 곳이에요.

4. ㅇㄷㅁㅇ
우리나라 최대 규모의 전통마을로 유네스코 세계문화유산에 등재되어 있어요.

5. ㄷㄱ과 ㅇㅈ
신라시대 때 귀한 손님이 오면 잔치를 베풀던 곳이에요. 이름처럼 달빛이 비쳐 은은하게 빛나는 연못이 정말 예쁜 곳이지요. 이곳에서 주령구가 발견되기도 했어요.

6. ㅁㅁㄷㅇㄹ
삼국통일을 완성한 ㅇㅇㅇ왕은 죽어서도 동해의 용이 되어 신라를 지키겠다는 유언에 따라 동해 앞바다에 묻혔다고 전해져요. 바다에 있는 무덤이에요.

7. ㅂㄱㅅ
부처님의 나라라는 뜻의 절이에요. 다보탑과 석가탑이 있는 곳이지요.

정답: 1. 선덕여왕 / 2. 천마총 / 3. 포석정 / 4. 양동마을 / 5. 동궁과 월지 / 6. 문무대왕릉 / 7. 불국사

번호 순서에 따라 점잇기

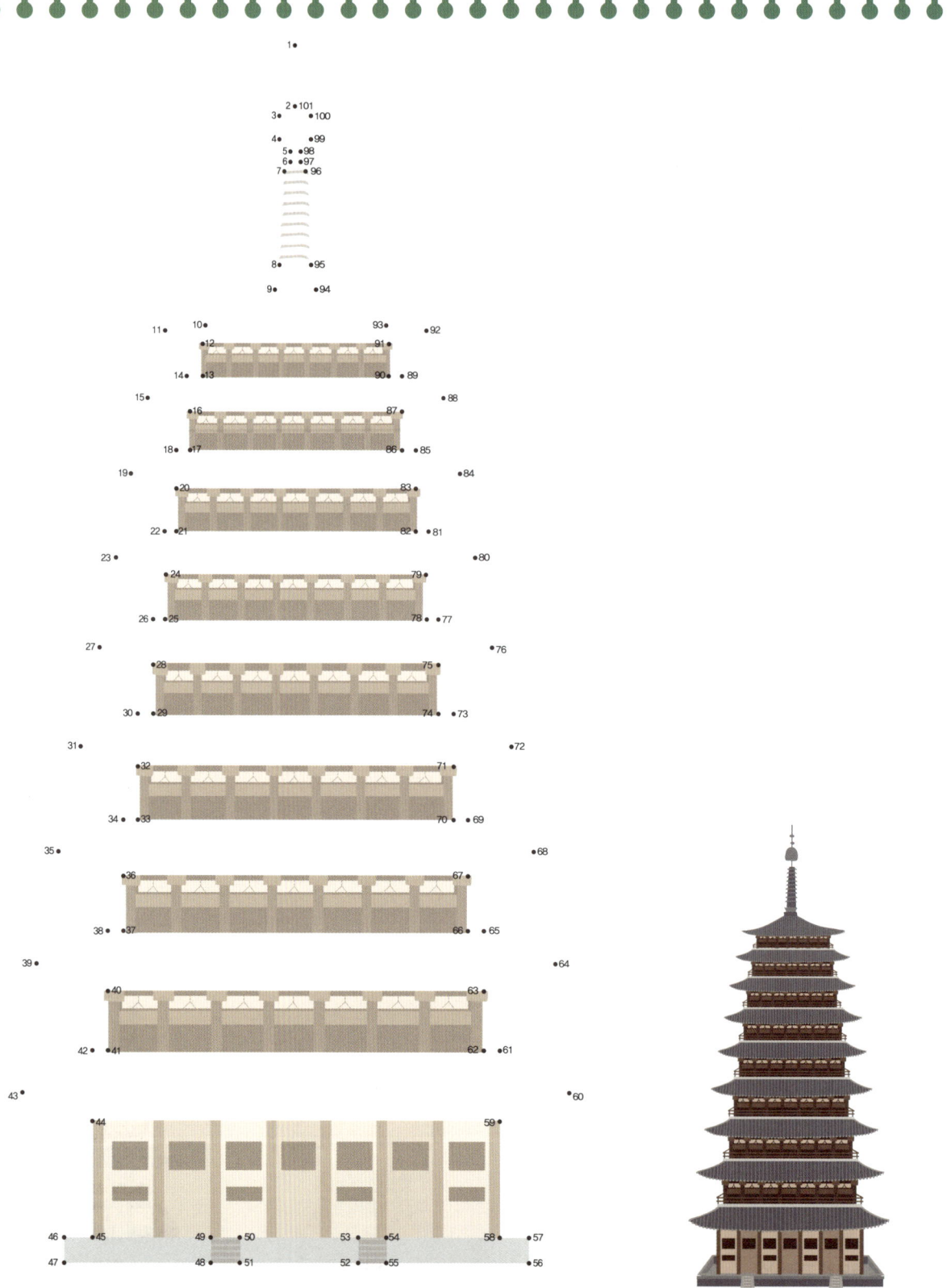

현장체험 학습 보고서에 잘라서 붙여보세요.

다보탑

석가탑

토우

주령구

분황사 모전 석탑

천마도

첨성대

무열왕릉비

성덕대왕신종

금관

석굴암

황룡사9층목탑

새날개모양 금관장식

미소기와

유물 이름 사다리 타기

금으로 만든 왕관이에요. 금관은 3개의 나뭇가지 모양과 2개의 사슴뿔 모양 장식을 하고 있어요.

금관

우리나라의 것이기 보다 다른 나라의 것처럼 보여요. 신라가 다른나라와 교류하였다는 것을 알수있게 해주지요.

장식보검

금제관모

천마총에서 발굴된 금으로 만든 모자 장식으로 추측하고 있어요.

성덕대왕신종

에밀레 종이라고도 불러요. 아름다운 소리는 물론 화려하고 신비스러운 모양이 장식되어 있어요.

토우

흙으로 만든 인형을 토우라고 해요. 신라 사람들은 흙으로 인형뿐만 아니라 동물 모양 인형, 그릇 등을 만들었어요.

현장체험 학습 보고서에 잘라서 붙여보세요.

돌무지덧널무덤 만드는 과정을 오려 붙이고, 체험학습 보고서에 설명을 써보세요.

 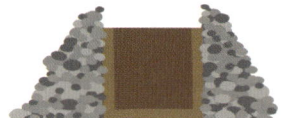 

다음 인물을 오려 붙이고, 인물의 업적에 대해 찾아 적고 배울 점을 체험 보고서에 써보세요.

박혁거세
朴赫居世,
BC 69 ~ AD 4

선덕여왕
善德女王,
제27대 왕
(재위 632~647)

비단벌레와 신라인의 관계를 적어보세요. 또 비단벌레차를 타보고 느낀 점을 써보세요.

작가님께 편지를 써보세요!

POST CARD

From.

_____

_____

To.
작가님에게
_____
#상상력놀이터 #안녕나는경주야 #작가님에게

책을 읽고 궁금한 점, 느낀 점을 편지에 써서 SNS에 올려주시면 작가님께서 직접 답장을 보내드립니다.
*참여방법: SNS에 #상상력놀이터 #작가님께 #안녕나는경주야(읽은 책의 제목) 해시태그로 올려주세요.

상상력놀이터에서 펴낸 즐거운 도서

어린이 여행 가이드북
안녕 나는 국내여행 시리즈

어린이를 위한 어린이 여행 가이드북!
〈안녕, 나는 제주도야〉를 비롯해 경주, 해외, 강원도, 서울, 강릉, 인천 등등 아이들의 시각으로 전해 줍니다. 안녕 나는 시리즈를 통해 나만의 진짜 여행을 즐겨보세요!

어린이 여행 가이드북
안녕 나는 해외여행 시리즈

이야기로 배우고 색칠하며 익히는 한국사 톡톡 1, 2

최근 가장 핫한 한국사 입문서! 컬러링과 스토리텔링으로 배우는 한국사 공부!
좌뇌와 우뇌를 자극하여 아이들이 재미있게 공부해요. 역사 체험 학습과 연계하면 좋아요.

무궁화 꽃이 피었습니다

위 그림에는 몇 명의 친구들이 놀이를 하고 있나요?

굴렁쇠 굴리기

굴렁쇠를 잘 굴리려면 어떻게 해야 할까요?

실뜨기 놀이

실뜨기로 어떤 모양을 만들 수 있나요?

닭싸움

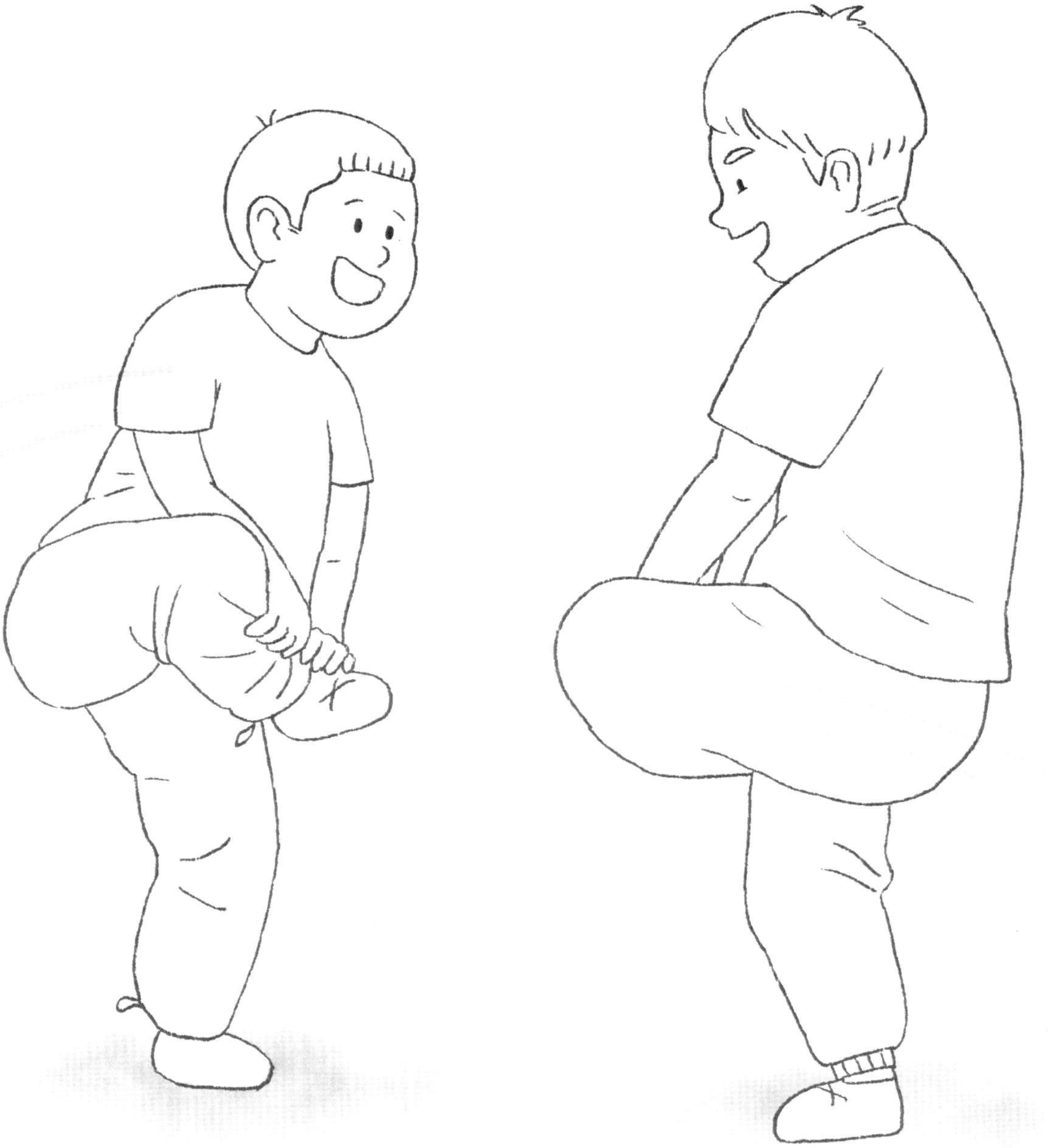

닭싸움을 해본 경험이 있나요?

딱지치기

딱지 접는 방법을 알고 있나요?

구슬치기

내게 가장 소중한 보물은 무엇인가요?

팔자놀이

학창 시절 가장 좋아하는 과목은 무엇이었나요?

줄다리기

줄다리기를 할 때 어떤 구령을 외치나요?

고누놀이

형제나 자매가 있나요?

씨름

생각나는 씨름 선수 이름을 말해보세요.